Où est ma trousse?

1ère Partie, Unité 14

Barbara Scanes

2

3

4

Vocabulaire

l'école	(the) school
voilà	there/there it is
un sac	a bag
mon sac	my bag
très bien	very good
une trousse	a pencil case
ma trousse	my pencil case
un crayon	a pencil
une gomme	a rubber
une règle	a ruler
un livre	a book
où est?	where is?